우당탕탕 63빌딩

우당탕탕 63빌딩

발　행 I 2023년 12월 6일
저　자 I 평택새빛초 6학년 3반(김준우 외 22명)
펴낸이 I 한건희
펴낸곳 I 주식회사 부크크
출판사등록 I 2014.07.15.(제2014-16호)
주　소 I 서울특별시 금천구 가산디지털1로 119 SK트윈타워 A동 305호
전　화 I 1670-8316
이메일 I info@bookk.co.kr

ISBN I 979-11-410-5756-5

www.bookk.co.kr

우당탕탕 63빌딩

평택새빛초 6학년 3반(김준우 외 22명) 지음

CONTENT

「김준우외 22명」 2023년 6-3반 학급문집

제1장 봄 한 송이

[1] 주제 시 쓰기: 우리들의 새 학기, 개학

[2] 비유하는 표현 넣어 시 쓰기

개학이다

김은우

슬프다

방학이 끝났다

좋다

훈련 안해서

재밌다

친구들이 있어서

힘들다

더 자고 싶은데...

마지막 초등학교의 1년

김준우

벌써 개학이다.

시간은 빨리 지나가며

우리는 벌써 6학년이 되었다.

이제 새로운 친구들과

선생님을 만날 것이다.

앞으로 무슨 일이 일어날지

기대된다.

개학날

도정현

개학날은 좋다 학교가 빨리 끝나서

개학날은 무섭다 보르는 애들이 많을 것 같아서

개학날은 설레인다 다른 애들이랑 사귈 수 있어서

개학날은 슬프다 다시 학교를 가야해서……

6학년

방경오

아쉽다

안 끝날 것 같은 겨울방학이 끝났다

새학년 새학기

새로운 친구들 친구들과 아직은 어색하지만

나중에는 친해질것 같다

그리고 이 학교도 익숙하다

하지만 1년 뒤에는 못본다

그래서 아쉽다

마지막 방학

손효승

으악

벌써 내일이 개학이다

벌써 개학 준비를 한다

방학이 한 달 더 늘려졌으면 좋겠다

내일이 개학이다

양지원

반배정이 나왔다

친구들과 같은 반일까

두근 두근

개학이다

반에 들어가보니

새로운 친구들이다

친구들을 새로 사귈 수 있어

좋다

새학기

이승우

새학기다

설레인다

누구랑 같은 반이 될까

친한 친구랑 같은 반이 되었으면 좋겠다

개학하는 날

이준형

개학하는 날이다.

여러가지 감정이 든다.

방학이 끝나서 슬프지만

친구랑 친해지지 못해

소외될까봐 무섭기도하다.

새로운 친구들을 만날 생각에

떨리기도 하다.

제일 친한 친구랑

같은 반이되어서 기쁘다.

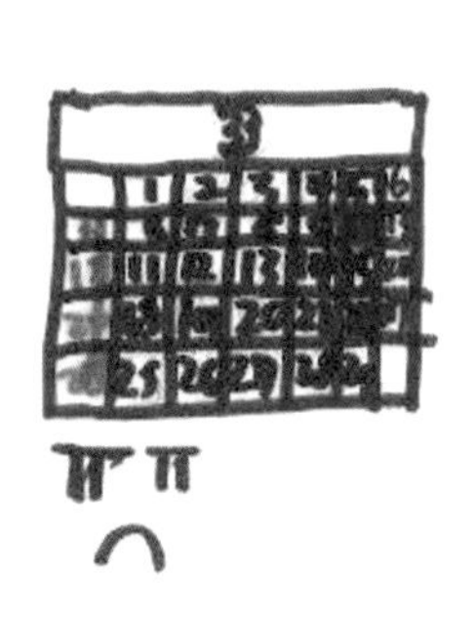

무서운 개학

임준하

등교길이 무겁게 느껴지고

학교 안을 들어가면 죄를 지은 뜻이 무섭고

계단을 올라갈 때는 누가 뒤에서 잡아당기는 것 같고

교실로 들어가면 감옥에 들어온 것 같다

드디어 개학

최경준

드디어 개학이 왔다.

6학년이 되려고하니 긴장되고 덜덜덜 떨렸다.

반으로 들어가니 선생님이 반겨주셨다.

6학년 생활도 나름 나쁘진 않을 것 같다.

일어나질 못한다

허수근

오늘은 개학날이다

이제 20분 후에 학교를 가야된다

너무 귀찮다 일어나야 한다

몸은 움직이지 않는다

머리는 일어나라 한다

몸은 거부한다

학교 지각하기 6분 전에 몸이 움직인다

"망했다"

개학날

권벼리

개학날은 매일 떨린다.

반에 들어갈 때마다 가슴이 두근두근 거린다.

새로운 선생님을 보며 반갑게 애들과 같이 인사를 했다.

의자에 풀썩 앉으면 더욱더 떨린 거 같다.

개학날은 정말로 다리가 덜덜 떨리는 날이다.

6학년

김아인

정신을 차리고 개학을 하니

어느덧 6학년이라는게 실감이났다

1학년에서 5학년 동안은

눈 깜짝할새에 끝난 것 같은데

이번 년도도 빨리끝날 것 같아 너무 아쉽다

하지만 이제 시작하는 새학기니까

1년 동안 선생님과 친구들과 재미있게 보내고싶다

신나는 개학

윤수연

오늘은 개학 날

신나게 등교를한다

나는 3반이네?

근데... 내가 싫어하는 애랑

같은 반이 되었다

그래도 6학년이 되었으니

학교생활 잘 해야지

여러가지 소리의 비

이나율

비가 오면 곳곳에서 도도독 토독

콩콩콩 따다닥 타다닥 비슷하지만

조금은 다은 소리 개학이 오면

친구들의 비슷하면서도 다른

마음이 궁금하다.

으아아

이보연

으아아 드디어 개학이다

슬픔과 떨리는 감정이 든다

6학년이라 마지막이라는 슬픔

선생님과 친구들을 새로 만나는 떨림

개학을 하니 생각과 다르게

좋은 것 같다

6학년이 기대된다!

6

6학년

이서윤

드디어 6학년

내년엔 중학교

공부가...

어렵지만

드디어 6학년

이서율

내 목숨과 같은 방학은 어디로

전혀 반갑지도 않은 개학이 날 찾아왔다

담임쌤은 누구신지 나는 몇 반인지

생각하다 밤새버렸다

진정한 6학년

이슬

이제 우리는 6학년이야!

근데... 그거 알아?

몸만 커지고 키만 크면

6학년일까?

아니,

마음도 커야해.

그래야

진정한 6학년이야.

마지막 학년

이예은

6학년이 됐다.

제일 높은 학년이면서

마지막 1년이라는 시간밖에 없다.

그만큼 공부도 더 어려워져서 교과서를 보기 싫다.

그리고 이 학교 급식을 내년이면 못 먹어서 아쉽고,

내년이면 초등학교가 아니라 중학교로 가겠지?

새학기

이지민

나도 이제 6학년!

요동치는 마음을
뒤로하고, 교실 문을 열었다.

교실문을 여니
반겨주는 건

따스한 공기보단
조금 미지근한 공기였다.

등교

이하은

5년동안 매일 같이 하던 등교

실내화 갈아신기

그치만

오늘 정말 떨린다

반 문을

드르륵

새로운 얼굴들이 반겨준다

새로운 시작이 너무 설렌다

쿵쾅쿵쾅

정재희

개학이다

쿵쾅쿵쾅

내 마음과 함께

쿵쾅쿵쾅

내 발걸음이 빨라진다

쿵쾅쿵쾅

내 발걸음이 어느새 교실 문 앞

교실 문을 보니

우르르 쾅쾅

내 마음이 요동친다

어떤 친구

정재희

같이 있으면 편한 친구

침대처럼 편한 친구

볼 때마다 다양한 친구

물감처럼 다양한 친구

기분 좋으면 달달한 친구

사탕처럼 달달한 친구

계절

이하은

꽃들이 살랑살랑

윤슬이 살랑살랑

단풍잎이 살랑살랑

나뭇가지가 살랑살랑

수학

이지민

수학은 미로 같다.

한 번 잘못 가면 전부 꼬인다.

수학은 시소 같다.

오르락 내리락 하는 내 성적들처럼

수학은 울렁증 같다.

미친듯이 소리치고 있는

내 마음처럼

에버랜드

이예은

에버랜드에는 뭐가 있을까?

에버랜드에는 놀이기구랑 머리띠가 많다.

물론 알바생도 있고 음식도 많다.

내가 제일 좋아하는 놀이기구는 아마존이다

왜냐하면 무섭고 재미있기 때문이다.

솔직히 말하면 놀이기구가 너무 많아서 진짜 설렌다.

놀이기구를 타면 좀 출출해져서 간식을 먹는다

역시 간식은 츄러스지! 라고할뻔

다 맛있어서 뭐 먹을지 고민이다.

그럴때는 친구와 같이 간식들을 사서 뺏어먹으면 된다.

에버랜드 가고 싶다

두 얼굴의 동생

이슬

내 동생은 두 얼굴을

가지고 있다.

천사의 얼굴일 때는

눈빛이 마치 꽃사슴 같다.

그러나... 악마의 얼굴일 때는

'이 사람이 아까 그 사람일까?'

라는 생각이 든다.

솜사탕

이서율

구름처럼 폭신하고

베개처럼 포근하고

솜처럼 부드럽고

말 그대로 솜사탕

떡볶이

이서윤

떡볶이는 맛있다.

떡볶이는 빨갛다.

떡볶이는 한국 사람이 더 좋아한다.

선생님은 떡볶이를 좋아하신다.

우리 가족은 떡볶이를 싫어한다.

하지만...

떡볶이는 최상의 맛이다.

구름

이보연

베개처럼 포근한 구름

집처럼 포근한 구름

가족처럼 편안한 구름

친구처럼 편안한 구름

눈처럼 하얀 구름

비숑처럼 하얀 구름

포근 편안 다 하는 하얀 구름

또각 구두

이나윤

엄마 구두 또각또각 시계소리

아직은 너무 큰 예쁜 구두

또각또각 나도 빨리빨리 커서

우리 엄마 처럼 또각또각!!

마라탕

윤수연

마라탕은 맛있다.

마라탕은 김밥처럼 알록달록하다.

마라탕은 캡사이신처럼 맵다.

마라탕은 치킨처럼 맛있다.

하…. 근데 좀 맵네…?

우리집 강아지

김아인

우리집 강아지는 친구같다

같이있으면 재밌고 떨어져 있으면 아쉽다

고민이 생기면

가장 먼저 옆에 앉아 기다려주는 강아지

덕분에 침대보다 편안하다

가끔은 화난 사람처럼 사납지만

우리집 초코는 젤 좋은 친구다

선생님

권벼리

우리 반을 들어가면 선생님이 햇살처럼 반겨주신다

우리 선생님은 어떨 때는 고양이처럼 귀여우시다.

언제는 선생님이 떡볶이처럼 매우시다.

선생님은 매일 별처럼 빛나신다.

선생님은 다양한 면이 많으시다.

층간소음

허수근

윗집이 너무 시끄럽다

쾅 드르륵 공사를 하는 것 같다

너무 시끄럽다

너무 화가나서 나도 쾅쾅

윗집도 다시 쾅쾅 드르륵

게임

최경준

나는 힘이 들지 않을 때마다 게임을 한다.

게임을 할 때면

주변소리가 안들릴 정도로 집중을 한다.

게임을 하고 끝낼 때면 더 하고싶은 생각이 난다.

포도

임준하

우리 엄마는 포도같다

왜냐면 쎄게 건들면 터지지만

안 건드리면 안 터진다

게임

이준형

게임은 마약과 같다.

중독되기 때문이다.

게임은 tv와 같다.

시력이 나빠지기 때문이다.

게임은 친구와 같다.

친구랑 노는 것처럼 재밌기 때문이다.

이승우

솜사탕은 침대 같다

푹신푹신하기 때문이다

솜사탕은 초콜릿 같다

달콤하기 때문이다

게임

양지원

하루 힘든 시간을 보냈다

나의 유일한 소중한 시간

게임 시간

게임 하기 전에 나는 순진할 뿐이지만

게임을 키고 끌때면

나는 그 때 만큼은 화가 나있다

게임

손효승

게임은 재미있다

하지만

이기면 새 핸드폰을 사는 것처럼 기쁘고

지면 동생이 말을 안 듣는 것처럼 화가 난다

방경오

햄버거는 우리반 같다

햄버거는 다양한 재료가 있듯이

우리반도 다양한 친구가 있다

햄버거는 한 가지의 재료로 맛이 없듯이

친구들이 모여 우리반이 된다

도정현

학교라는 군대가 있고

선생님이라는 교관이 있고

교실이라는 생활관이 있고

회장이라는 병장이 있다

피자

김준우

한 원 위에

치즈와 토핑들이

올려있는 피자.

피자는 마라탕처럼

많은 재료가 있으며

원반처럼 원 모양으로 이루어져 있다.

피자의 딱딱한 끝부분은

돌처럼 딱딱하다.

피자는 치킨처럼 맛있고

게임처럼 중독된다.

김은우

내 배는 블랙홀 같다

먹고 먹어도 배가 고프다

아무리 먹어도 블랙홀처럼 흡수된다

배가 고프면 빨아들인다

제2장　여름 한 컵

[1] 주제 시 쓰기: 모산골 공원 야외 수업

[2] 주제 시 쓰기: 주말

나만 대회

김은우

나만 대회다

친구들은 모산골이다

아쉽다 야외수업인데...

그래도 축구는 좋다

모산골 야외수업

김준우

사진 찍으러 야외활동 가는 날.

재미있을 것 같았지만

아주 멀은 곳이라 지옥이다.

오늘 같은 날은 지옥이다.

찌는 날에 죽을 정도로 걸었기 때문이다.

간식 먹을 때도 불과해 심하다.

과자도 사방으로 떠져

내 속도 터질것 같았다.

하지만 친구들과 놀았으니 재미있었다.

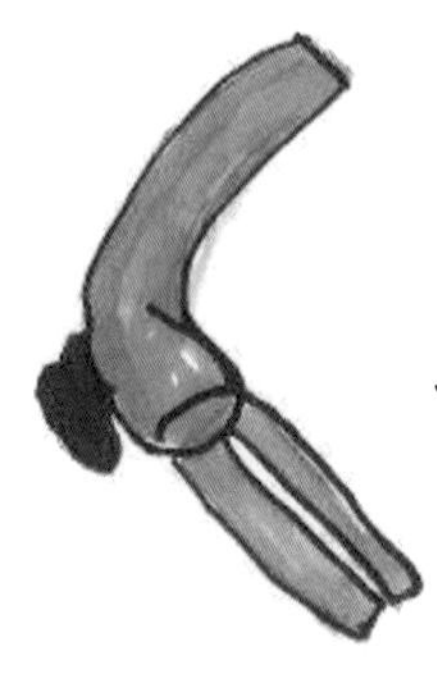

모산골 야외수업

도정현

처음에 재미있겠다하고 출발했다

정확하게 10분뒤 나는 무릎이 아팠다

처음 시작할 때 무릎이 조금 아팠지만

괜찮은 줄 알고 출발했다

후회했다 그냥 교감선생님 차에 탈걸...

그 이후 내 무릎에 뚝뚝 소리가

앉았다 일어서기만 해도 났다

지옥과 천국

방경오

다리를 다쳐 차로 갈때 천국

돌아다니며 사진 찍을때 지옥

친구들과 간식을 먹을때 천국

해가 나의 목을 째려볼때 지옥

차로 다시 학교로 갈때 천국

이 시를 쓰고있는 지금 지옥

다리 아픈 날

손효승

오늘은 야외수업을 갔었다

처음에는 가는게 기뻤다

근데 가면 갈수록 다리가 아팠다

또 갈수록 너무 더웠다

도착을 하고 신나게 놀았다

야외수업이 끝나고

또 다시 걸어야 했다

야외수업 하는 날

양지원

나는 지각을 했다

선생님이 괜찮다고 천천히 오라고 하셨다

나는 정말 죄송했다.

하지만 다른 마음으로는 다행인 것 같다.

체력운동

이승우

모산골 가는날이다

갈때는 너무 걸어 다리가 아팠다

사진을 찍을 때에는

다리가 아파서 서 있기도 힘들었다

하지만 근처에 있는 강을 보니 힐링이 되었다

돌아올 때는 체력운동 다시 시작이다

지옥

이준형

오늘은 모산골 가는날.

공부를 하지 안하기 때문에

기분이 좋았다.

하지만 모산골 공원을

갈때는 지옥같았다.

사진을 찍을땐 귀찮았다.

사진을 찍고 놀다가

진드기를 봤다.

진드기가 지옥의 벌레로 보였다.

그리고 놀다가 학교로 돌아갔다.

시를 쓰는 지금도 지옥같다.

모산골 야외 수업

임준하

오늘은 학교에서 모산골을 갔다

걸어가는데 힘들었다

도착해서 미션을 하고 놀았다

그리고 과자와음식을 먹었다

다시 돌아오는데 20배는 더 힘들었다

참 재밌었다

모산골 지옥

최경준

나는 모산골 수업이 재미있을줄 알았다.

학교와서 모산골로 가는데

다리가 아파 죽는줄 알았다.

모산골와선 잔디에 뛰어놀고 간식도 먹으니

다리아픔이 다 나라갔다.

하지만 학교 돌아오는 길이 더 지옥이었다.

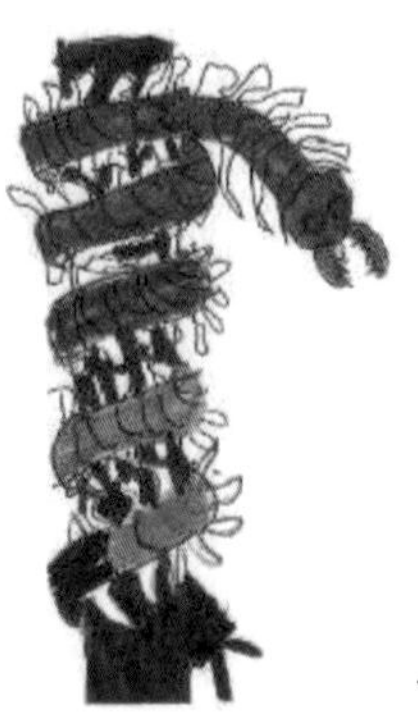

너무힘들다

허수근

오늘은 야외수업

너무죽을거같다

다리가터질것같다

이대로쓰러질거같다

모산골에왔다

길가다 지네가 6마리

그리고 날벌레까지

벌레가너무만다

여기가 공원인지

벌레 사육장인지

벌레가 너무만다

힘든 나날

권벼리

밖을 나가서 야외 수업을 하였다.

갈 때는 추웠고, 올 때는 정말 더웠다.

힘들어서 계속 땀도 줄줄 나왔다.

하지만 친구들과 딸기, 자몽을

먹으며 놀아서 행복했다

야외수업은 정말 재밌었지만,

가장 힘들었던 하루였다.

살려주세요

김아인

야외수업이 끝나고 돌아오는길

죽어가는 소리만 들린다

드디어 도착한 학교 계단을 타야한다는 생각에

벌써힘들었다 그렇지만 선생님은

'나는 엘레베이터 타야지'

라고하셨다 나도 빨리 어른이되고싶었다

교실로 돌아오자마자 책상을 밀고 바닥에 쓰러졌다

'살려주세요...'

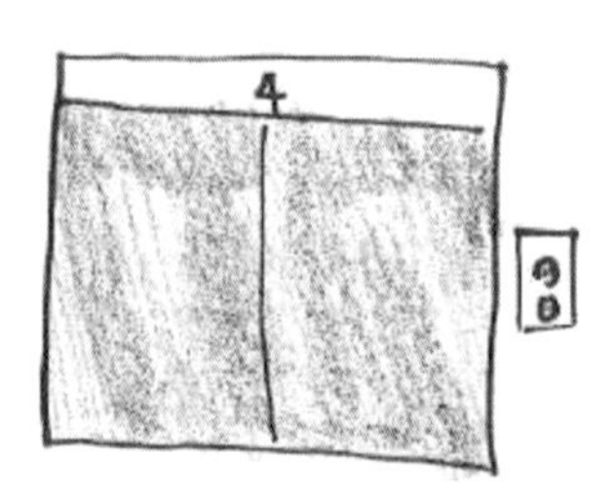

더워

윤수연

오늘은 야외수업 날...

무더운 더위에 야외수업...

하지만 기뻤다.

처음으로 야외수업을하기 때문에.

학교로 돌아오는 길...

너무너무 더워 쓰러질 것 같았다.

그래도 다치지않고 잘 다녀와서 기쁘네.

이나흔

신나는 마음 뛰는 듯한 내 발

신나게 모산골로 향하지만

뛰는 내 발은...걷는 발이 되고

좀 더 걸으니 힘든 발이 되고...

쪼끔 더더 걸으니 내 발은

내 발 같지만 아닌 것 같은

누구의 발도 아닌 발이 된다.

나는 편했다

이보연

오늘 6학년 전체로 야외 수업을 했다

걸어가면 35분인데!!

나는 편안하게 교감쌤 차를 타고 왔다

모든 애들이 나를 부러워하는 눈빛이었다

올 때도 너무 편했다

나는 편했다

모산골

이서윤

모산골에서는...

벌래도 많고

애벌래도 많고

가는길도 멀고

안좋은건 많지만

눈물 쏙 들어갈듯 재밌었다.

모산골 야외수업

이서율

야외수업을 한다고 해서

좋을 줄만 알았다

공원에 온 뒤 나의 웃음기는

싹 사라져버렸다

벌레가 우글우글하고

놀다가 넘어져서 다치고

그래도 공부 안해서 좋았다

탈진

이슬

모산골 공원 가는 길

자이를 지났다.

약간 힘들다.

더 갔다

힘들다.

더 많이 갔다.

더 힘들다.

육교를 지났다.

죽을 것 같다.

도착했다.

탈진 했다.

야외수업

이예은

체험학습처럼 설레는 수업

엄마의 품처럼 따뜻한 햇살

친구와 함께 먹어 더 맛있는 간식

꿈틀꿈틀 거리는 징그러운 벌레

친구들이랑 함께 모여 더 재미있는 단체사진

엄마 뒤에 졸졸 따라다니는 아기 오리들

다신 안 가

이지민

오늘은 학교에서

모산골 야외수업을 갔다.

분명 가는 길엔 너무 기대되고

떨렸는데, 마치고 돌아오는 길은

엄청나게 힘들었다.

교실에 들어온 친구들은

교실 바닥에 눕기 시작했다.

물론.. 나도 포함이다.

몇몇 친구들은 게임, 수다 떨기에

바빴다.

나는 그런 친구들을 바라보며

스르르…

삐그덕

이하은

뚜벅 뚜벅..

학교를 가서..

어?

와!

오늘은 모산골가는 날

학교를 나와

뚜벅 뚜벅 ..

30분을 걸어 도착!

과자를 먹고~ 사진을 찍고~

삐그덕삐그덕

다시 걷는다

벌레

정재희

야외수업이다

공원을 가는 길
벌레가 위잉-위잉

공원에 도착해도
벌레가 위잉-위잉

벌레와 함께했던 야외수업

갑작스럽게

정재희

이모네 가족이 놀러왔다

갑작스럽게

3살짜리 동생도 같이왔다

갑작스럽게

이모네 가족이 간다

다음에도 갑작스럽게 오면 좋겠다

netflix

이하은

핸드폰을 열자마자

두둥

힘센여자 강남순

정신병동에도 아침이 와요

이두나!

이 드라마에 공통점을 찾았다

다 빛이 난다…

우산 RIP

이지민

나는 주말에 내 정략결혼

상대와 평택역을 갔다.

참 운도 없게 비가

오던 날이라 우산을 쓰고

돌아다녔다.

지영이와 나는

찾고 있는 장소가 보이지 않아

당황하고 있던 중.

파박 –

소리가 들렸다.

그날 나의 생명줄 같던 우산은

처참한 모습으로 날 맞이했다.

나에게 생긴 좋고 슬픈일

이예은

어제 월요일, 쉬는 날이라

마침 다 떨어진 강아지 사료를 사러 갔는데

너무너무 귀여운 애기 냥이가 있었다.

나를 보며 애교부리고 야옹야옹 거리는게

너무너무 귀여워서 심장이 두근두근 거렸다.

못 키우는걸 아는데 왜이럴까..

얼른 집으로 가야 되는데 왜 발이 무겁지?

첫째

이슬

친구네 집에서 돌아오는 길

친구네 엄마가

종이봉투를 나와 동생에게

하나씩 주셨다.

집에 와서 봉투를 뜯어 보니

세종대왕님 두 분이 계셨다.

동생은 한 분ㅋ

동생이 불쌍했다.

첫째가 최고다.

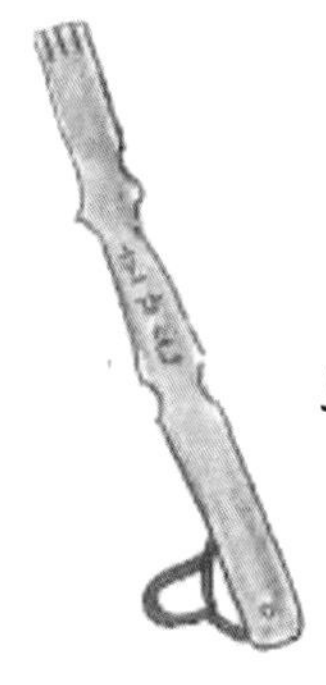

동생 손은 효자손

이서율

동생이 날 때렸다

힘이 어마무시했다

나보다 더 센 것 같았다

아.

손이 아니라 효자손

행복한 하루

이서윤

옷도 새로 사고

친구 집도 가고

맛있는거 많이 먹고

행복했다.

다음에도 이런 행복한 하루가 나타나면 좋겠다.

평택역

이보연

나는 저번 주 주말 친구와 평택역을 갔다

근데! 친구와 준비를 늦게해 버스를 놓쳤다

그래서 버스를 타고 내리자마자

노래방으로 튀어갔다

티얼스, 아모르파티, 퀸카 등등 불렀다

고막이 터지는 줄 알았다

또 어디서 평택역에 탕후루가 있다는걸 주워 듣고

또 튀어갔다.

맛있었다

또 놀다가 집 갔다

2일의 휴식

이나율

5일 동안 아주 강한 햇빛을

받아서 바싹 마른 흙에

2방울의 물만 주면 그 흙에서는 식물이 자라지

못한다.

그처럼 5일 동안의

학교생활 때문에 지친 몸은

2일의 휴식을 만족해하지 않는다.

짜증나는 버스

윤수연

신나는 주말.

친구와 시내로 가서 놀기로 했다.

설레는 마음으로 친구를 만났다.

엄.... 버스를 놓였다.

어떡해........

그냥 놀이터에서 놀아야지.

녹차중독

김아인

두근두근 설레는 감정을 낮추고

동동잘을 굴렸다 그리고 띵!

소리가나며 드디어 올게 왔다

얼른 쟁반에서 꺼내 찰칼찰칵 사진도찍고

뒤늦게 섞은뒤 맛을본다

아 이맛이지 역시 녹차는 기대를 버리지 않는다!

중독

권벼리

주말에는 집에서 게임만 하였다.

게임을 열심히 하고 있었는데, 드디어 16렙을 올렸다.

나는 열심히 16렙을 올린

나 자신을 칭찬하며 펄쩍펄쩍 뛰었다.

친구에게 연락을 하고

내가 16렙이 됐다며 소리를 지르고

같이 게임을 하였다.

게임 하나 때문에 이러고 있다는 게 조금 웃겼다.

로블록스

허수근

오늘은 토요일이다

난 로블록스를 할 것이다

킹피스에서 시비당하고

화가나서 게임을 껐다

도박

최경준

아빠랑 동생과 경마장을 갔다.

도박하는 기계장치가 있었는데

아빠가 그걸 하려 온 것이었다.

나는 동생과 말려봤지만

아빠는 괜찮다며 나와 같이 하기로 했다.

도박이란 왜 있는걸까..

주말

임준하

오늘은 주말이다

게임도 하고 먹고 잠을 자니

주말이 끝났다

운좋은날

이준형

주말에 산책을 하다가

옛날에 친구였던 사람을 봤다.

오랜만에 보는거라

반갑게 느껴졌다.

그 친구와 놀다가

시간이 오래돼어 집을갔다.

오랜 친구를 만나

기분이 좋았다.

주말

이승우

토요일이 왔다

게임을 1시간만 한거같은데

벌써 월요일이다

주말

양지원

PC방을 갔다

3일 동안 계속 갔다

눈이 아프다

제일 기억에 남는건

PC방 음식을 못 시켰다

슬프다

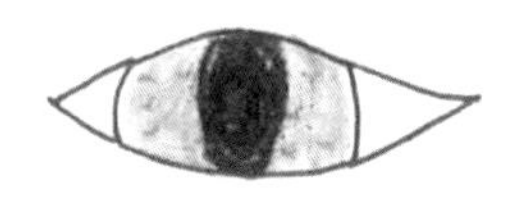

축구 대회

손효승

처음으로 대회를 나갔다

비가너무 많이와서 제대로 경기를 못했다

총 3경기를 뛰었지만 1승2패로 예선 탈락을 했다

참 슬펐다

나에게 생긴 무서운 일

방경오

무서운 영화를 볼 땐 가슴이 두근두근

행복한 영화를 볼 땐 기쁨

내일 학교 갈 생각에 슬픔

도정현

지원이랑 피시방을 갔다

나는 2일 연속이고 지원이는 3일 연속이다

게임을 하고 있는데 조금 배가고파 음식이 없다

슬프다

달팽이

김준우

내리문화 공원에서 비가 오니

달팽이가 바들거렸다.

내가 걸을 때마다

와작 하는 소리에 소름이 돋는다.

발 밑을 보면 달팽이는 죽은체로

등껍질도 부숴졌다

차라리 비오는 날에

가지 않는게 좋을것 같다

주말이다!!

김은우

주말인데... 또 운동이다

재밌지만 애들처럼 놀고싶다

운동 끝나면 축구 애들이랑 논다

이런 것도 좋다

제3장　가을 한 장

[1] 주제 시 쓰기: 진로체험페스티벌

[2] 나를 소개해요, 10문 10답

내 직업

김은우

염색을 했다
크흠 염색은 하지 말자

머리띠 만들기
이걸 해야되나..

레몬에이드 만들고 싶다
시간이 끝

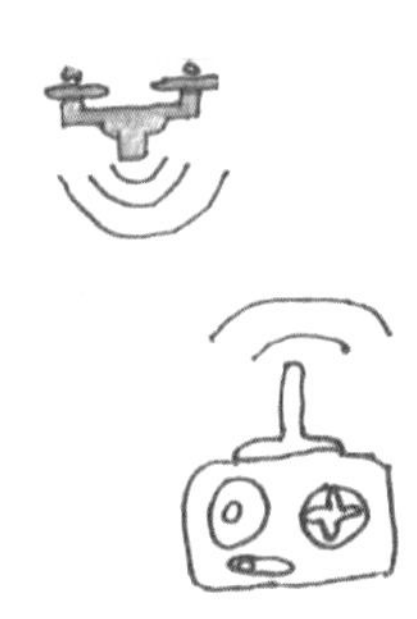

진로체험 페스티벌

김준우

진로체험 페스티벌을 하던 날

나는 드론을 체험하는 곳으로 갔다.

그 때 나는 드론을 처음 해보던 날이었다.

드론을 막상 해보니 재미있다.

나중에 가능하면

드론을 다시 하고 싶다

직업

도정현

머리띠를 만들었다

지원이가 옆에서 글루건으로 내 머리띠에 발라줬다

드론을 조종했다

생각보다 재미가 있었다

레몬에이드를 만들려고 했다가

재료 소진으로 못만들었다....

진로체험 페스티벌

방경오

오늘은 진로체험 페스티벌이다

슬라임을 만지고 드론을 날리고

다른 것들을 하다보니 벌써 끝났다

진로 체험 페스티벌

손효승

진로 체험 페스티벌을 했다

슬라임 만들고

드론 날리고

염색이랑 머리띠를 만들었다

더 하고 싶었는데 시간이 끝나버렸다

양지원

오늘은 신나는 날이다

많은 직업을 체험할 수 있고

즐겁고 재밌게 즐길 수 있는

진로 페스티벌을 하는 날이다

진로 체험 페스티벌

이승우

오늘은 공부 안하고

많은걸 체험한다

슬라임도 만지고

공책도 만들었다

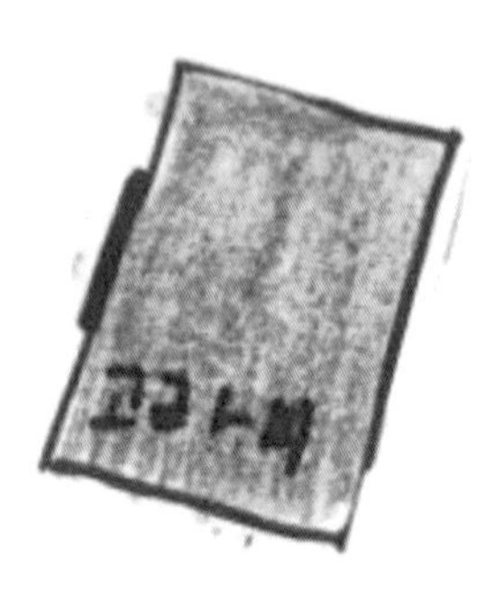

진로 페스티벌

이준형

오늘은 좋은 날이다

공부도 안하고

많은 직업을 체험하는 날이다.

머리띠도 만들고

드론도 날렸다.

재밌는 날이다.

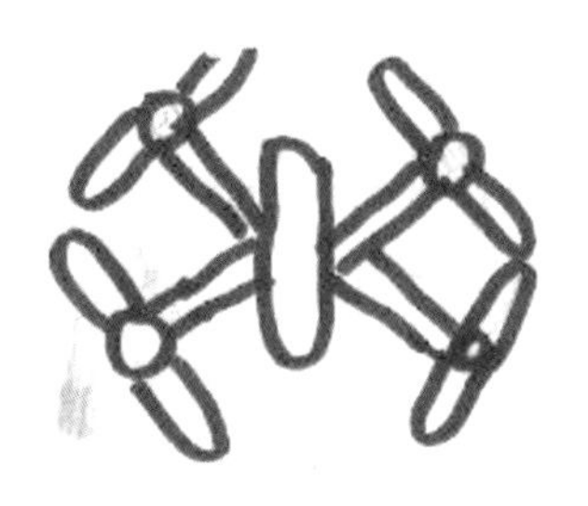

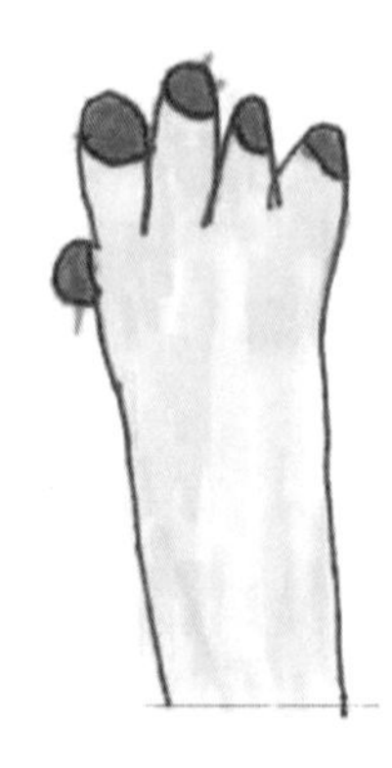

진로 페스티벌

임준하

오늘은 진로 페스티벌이다

처음으로 5층도 올라갔다

그리고 드론 공책 머리띠 매니큐어

등등을 했다

재밌었다

캠핑

최경준

진로체험 때 캠핑을 했다.

캠핑에서 물건도 팔고

게임도 하고

맛있는 것도 먹을 수 있었다.

하지만 현장체험학습을 가야 할 우리는

캠핑을 하고 있었다.

진로체험

허수근

오늘은 진로체험 페스티벌이다

처음은 종이접기를 했다

다음은 목공을 했다

또 여러 가지를 했지만

내가 하고 싶은 직업은 없었다

행복

권벼리

내가 기다리고 기다리던

진로 체험 페스티벌을 하는 날이 왔다.

나는 너무 신났다.

처음에는 헤어 스타일을 꾸미며,

머리카락에 뭘 붙여보기도 했다.

친구들의 헤어를 꾸며주기도 하였다.

친구들과 이런 시간을 보낸다는 게

정말 좋았고, 신났다.

나는 이런 날이 한 번 더 와줬음 좋겠다.

공부를 안 하고 논다는 것은 나에겐 큰 행복이다.

진로체험페스티벌

김아인

드디어 기다리던 진로체험 페스티벌

생각보다 사람이 많이 몰려서

하지못한 체험이 많았다

그래도 제일 하고 싶었던

비누 만들기를 하려고 친구와 뛰어갔다

다행히 마지막 순서에 딱 들어갔다

이쁘게 비누를 만들어서 기분이 좋았다

신나는 진로체험

윤수연

진로체험하는 날.

제일 첫 번째로 헤어디자이너 부스를 갔다.

고데기도하고. 브릿지도 붙이고.

재밌네..?

별로 기대 안했는데..

너무 재밌어서 바로 다음 부스로 갔다.

다음으로는 네일아티스트.

역시 이것도 재밌었다.

다음에 또 하고 싶네?

진로란?

이나휼

진로란 내 마음에 들어야 하는 것

하지만 그렇다고

내 마음대로 되는 것도 아니다.

근데..

내비게이션으로 경로를 찍듯이

누가 내 진로를 정해 준다면 좋을까?

재밌었다

이보연

진로체험페스티벌이 다가왔다

팔찌, 쿠키 등등을 만들었다

평소에 하지 않는 걸 해서 더 재밌었던거 같다.

쿠키를 만들었는데 정말 난장판이었다

하지만 맛있었다

재밌었다.

알차게 놀았던 날

이서윤

알찼던 날

진로 체험이었다

정말 재미있었다

하지만 조금만 더 계획을 했다면

더 알찰 수 있었을 것 같다

진로체험 페스티벌

이서율

이날만을 기다렸다

노는 날이다

사람들이 북적북적

정신 사나웠지만

비누 공예도 하고

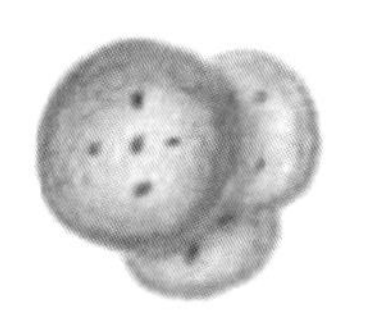

쿠키도 만들어보고

악세사리도 만들어보고

정신 사나워도 할건 다 했다

리본공예

이슬

리본공예를 했다.

그런데…

심각하게 어려웠다.

리본이 자꾸 꼬이고

엉뚱한 모양이 나왔다.

그렇게 겨우겨우 완성한 리본은

모양이 짝짝이였고

내 손은 풀범벅이였다…

진로체험

이예은

맛있는 쿠키를 만들었다.

너무너무 향이 좋고 맛도 좋아서 또 만들고 싶었다

비누도 만들었다

향이 너무 좋아서 나만 쓰고 싶었다

그래도 가족을 위해 정성껏 만들었다 하하하

진로체험 페스티벌

이지민

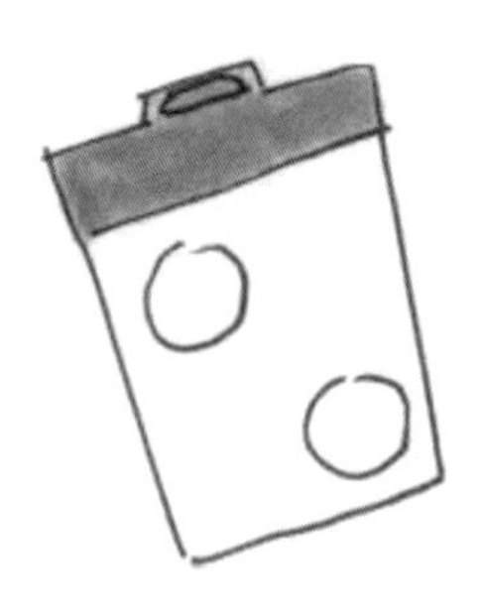

오늘은 학교에서
진로체험 페스티벌을 했다.

나름 재밌었지만,
인기가 많아 사람이 너무 몰린 체험은
하지 못해 너무 아쉬웠다.

그래도 하고 싶었던
비누 만들기 체험은 할 수 있어서 기뻤다.

재밌었지만, 너무 피곤한 하루였다.

하니

이하은

달려라

미용실로

내 머리 친구 머리를 하고

달려라!

내 머리띠를 만들고

달려라!!

마지막으로 쿠키를 만들면

끝!!!

내가 만약 OOO가 된다면

정재희

걱정된다

요 녀석들의 마음이

걱정된다

주인들의 마음이

걱정된다

도와줄 수 있을지

내 직업은 뭘까?

우리들의 가을
캠핑
OO
시장
알뜰 시장
떡볶이!
음식만들기
Cook! Cook!

〈김은우〉

내가 태어난 날은?	2011.5.5.
내가 잘 하는 것은?	축구
나의 보물 1호는?	나
나의 장래희망은?	축구선수
나를 동물에 비유한다면?	치타
그렇게 생각한 까닭은?	빨라서
내가 부모님께 듣고 싶은 말은?	파이팅 (항상해주시지만)
부모님께 가장 선물하고 싶은 것은?	집
어른이 되면 꼭 해보고 싶은 것은?	세계여행, 농사, 장사
중학생이 되는 소감 한 마디!	힘들겠다

〈김준우〉

내가 태어난 날은?	2011.5.5.
내가 잘 하는 것은?	영어
나의 보물 1호는?	부모님
나의 장래희망은?	유튜버
나를 동물에 비유한다면?	나무늘보
그렇게 생각한 까닭은?	나도 느긋하고 여유롭게 움직이고 싶다.
내가 부모님께 듣고 싶은 말은?	사랑한다
부모님께 가장 선물하고 싶은 것은?	피아노 악보, 닌텐도 팩
어른이 되면 꼭 해보고 싶은 것은?	외국인과 자연스럽게 대화
중학생이 되는 소감 한 마디!	시간이 너무 빨리 지나갔다.

〈도정현〉

내가 태어난 날은?	2011.10.26.
내가 잘 하는 것은?	게임
나의 보물 1호는?	컴퓨터
나의 장래희망은?	프로게이머
나를 동물에 비유한다면?	강아지
그렇게 생각한 까닭은?	얼굴이 강아지상이라서
내가 부모님께 듣고 싶은 말은?	용돈!
부모님께 가장 선물하고 싶은 것은?	돈
어른이 되면 꼭 해보고 싶은 것은?	친구들이랑 맛집 찾기
중학생이 되는 소감 한 마디!	...

〈방경오〉

내가 태어난 날은?	2011.9.30.
내가 잘 하는 것은?	배드민턴
나의 보물 1호는?	지갑
나의 장래희망은?	대기업 들어가기
나를 동물에 비유한다면?	나무늘보
그렇게 생각한 까닭은?	게을러서
내가 부모님께 듣고 싶은 말은?	공부 잘하네
부모님께 가장 선물하고 싶은 것은?	집
어른이 되면 꼭 해보고 싶은 것은?	친구들과 해외여행
중학생이 되는 소감 한 마디!	공부 더 빡세게 해야겠다

〈손효승〉

내가 태어난 날은?	2011.10.21.
내가 잘 하는 것은?	축구(조금)
나의 보물 1호는?	앵무새
나의 장래희망은?	축구선수
나를 동물에 비유한다면?	원숭이
그렇게 생각한 까닭은?	지능이 높아서
내가 부모님께 듣고 싶은 말은?	사랑해
부모님께 가장 선물하고 싶은 것은?	용돈
어른이 되면 꼭 해보고 싶은 것은?	유럽으로 해외여행 가기
중학생이 되는 소감 한 마디!	화이팅하자

〈양지원〉

내가 태어난 날은?	2011.6.30.
내가 잘 하는 것은?	롤
나의 보물 1호는?	기록
나의 장래희망은?	없다
나를 동물에 비유한다면?	원숭이
그렇게 생각한 까닭은?	이상하다
내가 부모님께 듣고 싶은 말은?	사랑해
부모님께 가장 선물하고 싶은 것은?	자동차, 집
어른이 되면 꼭 해보고 싶은 것은?	춤춰보기
중학생이 되는 소감 한 마디!	이런

〈이승우〉

내가 태어난 날은? 2011.4.23.

내가 잘 하는 것은? 게임

나의 보물 1호는? 컴퓨터

나의 장래희망은? 파일럿

나를 동물에 비유한다면? 고라니

그렇게 생각한 까닭은? 고라니처럼 귀여워서

내가 부모님께 듣고 싶은 말은? 게임 더 해라

부모님께 가장 선물하고 싶은 것은? 돈

어른이 되면 꼭 해보고 싶은 것은? 아이스크림 딸기맛 빼고 초코맛만 먹기

중학생이 되는 소감 한 마디! 공부하기 싫어

〈이준형〉

내가 태어난 날은? 2011.10.14.

내가 잘 하는 것은? 잘 먹기

나의 보물 1호는? 핸드폰

나의 장래희망은? 돈 많은 백수

나를 동물에 비유한다면? 인간

그렇게 생각한 까닭은? 인간이니까

내가 부모님께 듣고 싶은 말은? 돈줄까?

부모님께 가장 선물하고 싶은 것은? 돈

어른이 되면 꼭 해보고 싶은 것은? 개 키우기

중학생이 되는 소감 한 마디! 기쁘다

〈임준하〉

내가 태어난 날은?	2011.6.25.
내가 잘 하는 것은?	게임
나의 보물 1호는?	컴퓨터
나의 장래희망은?	삼성 회장
나를 동물에 비유한다면?	고양이
그렇게 생각한 까닭은?	내가 고양이상이니까
내가 부모님께 듣고 싶은 말은?	고마워
부모님께 가장 선물하고 싶은 것은?	집
어른이 되면 꼭 해보고 싶은 것은?	자취
중학생이 되는 소감 한 마디!	유치원이 좋다

〈최경준〉

내가 태어난 날은?	2011.4.3.
내가 잘 하는 것은?	태권도
나의 보물 1호는?	동생
나의 장래희망은?	유튜버
나를 동물에 비유한다면?	곰
그렇게 생각한 까닭은?	애들이 곰 닮았다 해서
내가 부모님께 듣고 싶은 말은?	사랑한다
부모님께 가장 선물하고 싶은 것은?	사랑
어른이 되면 꼭 해보고 싶은 것은?	현질하기
중학생이 되는 소감 한 마디!	나 중학생이다!

〈허수근〉

내가 태어난 날은?	2011.1.26.
내가 잘 하는 것은?	잠자기
나의 보물 1호는?	구름이
나의 장래희망은?	건축가
나를 동물에 비유한다면?	나무늘보
그렇게 생각한 까닭은?	눕는 것을 좋아해서
내가 부모님께 듣고 싶은 말은?	아이스크림 사줄게
부모님께 가장 선물하고 싶은 것은?	포켓몬 카드
어른이 되면 꼭 해보고 싶은 것은?	슬라임으로 수영하기
중학생이 되는 소감 한 마디!	공부하기 싫다

〈권벼리〉

내가 태어난 날은?	2011.10.7.
내가 잘 하는 것은?	게임
나의 보물 1호는?	고양이
나의 장래희망은?	간호사
나를 동물에 비유한다면?	사막여우
그렇게 생각한 까닭은?	친구가 닮았다고 해서
내가 부모님께 듣고 싶은 말은?	잘했어, 사랑해
부모님께 가장 선물하고 싶은 것은?	향수, 꽃
어른이 되면 꼭 해보고 싶은 것은?	친구들 만나기
중학생이 되는 소감 한 마디!	어으, 떨린다

〈김아인〉

내가 태어난 날은?	2011.7.12.
내가 잘 하는 것은?	태권도
나의 보물 1호는?	돈
나의 장래희망은?	검사, 경찰
나를 동물에 비유한다면?	토끼
그렇게 생각한 까닭은?	주변에서 닮았다고 해서
내가 부모님께 듣고 싶은 말은?	잘한다, 수고했다
부모님께 가장 선물하고 싶은 것은?	현금
어른이 되면 꼭 해보고 싶은 것은?	서울에서 하루 종일 놀기
중학생이 되는 소감 한 마디!	그냥 그렇다

〈윤수연〉

내가 태어난 날은?	2011.3.13.
내가 잘 하는 것은?	댄스
나의 보물 1호는?	이예은
나의 장래희망은?	네일아티스트
나를 동물에 비유한다면?	토끼
그렇게 생각한 까닭은?	풀때기를 잘 먹어서
내가 부모님께 듣고 싶은 말은?	사랑해
부모님께 가장 선물하고 싶은 것은?	돈
어른이 되면 꼭 해보고 싶은 것은?	친구랑 자취하면서 술마시기
중학생이 되는 소감 한 마디!	너무 설레고 드디어 초딩 잼민이 탈출!

〈이나휼〉

내가 태어난 날은? 2011.9.1.

내가 잘 하는 것은? 만들기

나의 보물 1호는? 아이패드

나의 장래희망은? 간호조무사

나를 동물에 비유한다면? 여우

그렇게 생각한 까닭은? 친구들이 여우 닮았다고 해서

내가 부모님께 듣고 싶은 말은? 고마워

부모님께 가장 선물하고 싶은 것은? 부모님 얼굴 그려드리기

어른이 되면 꼭 해보고 싶은 것은? 언니들이랑 같이 놀고 자기

중학생이 되는 소감 한 마디! 별 느낌이 없어요!

〈이보연〉

내가 태어난 날은? 2011.10.7.

내가 잘 하는 것은? 태권도

나의 보물 1호는? 가족

나의 장래희망은? CEO

나를 동물에 비유한다면? 원숭이

그렇게 생각한 까닭은? 친구가 닮았다고 해서

내가 부모님께 듣고 싶은 말은? 잘했어

부모님께 가장 선물하고 싶은 것은? 돈

어른이 되면 꼭 해보고 싶은 것은? 내가 운전하면서 놀러가기

중학생이 되는 소감 한 마디! 두근 두근 두근

〈이서윤〉

내가 태어난 날은?	2011.12.15.
내가 잘 하는 것은?	돈 쓰기
나의 보물 1호는?	우리 가족
나의 장래희망은?	약사
나를 동물에 비유한다면?	다람쥐
그렇게 생각한 까닭은?	볼이 빵빵해서
내가 부모님께 듣고 싶은 말은?	다이소 가자
부모님께 가장 선물하고 싶은 것은?	돈
어른이 되면 꼭 해보고 싶은 것은?	장래희망 이루기
중학생이 되는 소감 한 마디!	공부하기 싫다

〈이서율〉

내가 태어난 날은?	2011.4.21.
내가 잘 하는 것은?	춤추는 거
나의 보물 1호는?	엄마, 아빠
나의 장래희망은?	K-POP 댄서
나를 동물에 비유한다면?	비버
그렇게 생각한 까닭은?	친구들이 비버 닮았다고 해서
내가 부모님께 듣고 싶은 말은?	이미 듣고 싶은 말을 아낌없이 해주심
부모님께 가장 선물하고 싶은 것은?	명품 가방, 신발
어른이 되면 꼭 해보고 싶은 것은?	아이돌 앨범 대량 구매
중학생이 되는 소감 한 마디!	인생 쓰다

〈이슬〉

내가 태어난 날은?	2011.12.28.
내가 잘 하는 것은?	그림 그리기
나의 보물 1호는?	성경책
나의 장래희망은?	일러스트 작가
나를 동물에 비유한다면?	토끼
그렇게 생각한 까닭은?	얼굴상이 토끼라서
내가 부모님께 듣고 싶은 말은?	사랑해
부모님께 가장 선물하고 싶은 것은?	예쁜 접시, 가죽 재봉틀
어른이 되면 꼭 해보고 싶은 것은?	사업해보기
중학생이 되는 소감 한 마디!	가기 싫어요

〈이예은〉

내가 태어난 날은?	2011.8.8.
내가 잘 하는 것은?	춤, 발로란트, 로블록스
나의 보물 1호는?	몰라요
나의 장래희망은?	아이돌
나를 동물에 비유한다면?	말티즈
그렇게 생각한 까닭은?	친구가 닮았다 해서
내가 부모님께 듣고 싶은 말은?	돈줄게
부모님께 가장 선물하고 싶은 것은?	돈, 집
어른이 되면 꼭 해보고 싶은 것은?	좋아하는 곳 돌아다니면서 즐기기!!
중학생이 되는 소감 한 마디!	싫어요

〈이지민〉

내가 태어난 날은?	2011.7.11.
내가 잘 하는 것은?	글쓰기
나의 보물 1호는?	스마트폰, 카드
나의 장래희망은?	작가
나를 동물에 비유한다면?	나무늘보
그렇게 생각한 까닭은?	행동이 느리다
내가 부모님께 듣고 싶은 말은?	고마워
부모님께 가장 선물하고 싶은 것은?	옷
어른이 되면 꼭 해보고 싶은 것은?	혼자 여행가기
중학생이 되는 소감 한 마디!	무서워요!

〈이하은〉

내가 태어난 날은?	2011.2.9.
내가 잘 하는 것은?	춤, 말하기
나의 보물 1호는?	돈
나의 장래희망은?	돈 많아지기
나를 동물에 비유한다면?	쿼카
그렇게 생각한 까닭은?	방금 들어서
내가 부모님께 듣고 싶은 말은?	잘했어
부모님께 가장 선물하고 싶은 것은?	현금다발
어른이 되면 꼭 해보고 싶은 것은?	타투
중학생이 되는 소감 한 마디!	샤랄라 오모나

〈정재희〉

내가 태어난 날은?	2011.9.24.
내가 잘 하는 것은?	색칠,칼림바
나의 보물 1호는?	울가족
나의 장래희망은?	사육사,수의사
나를 동물에 비유한다면?	푸들
그렇게 생각한 까닭은?	뛰는게 강아지 같고 감정공감을 잘해줘서
내가 부모님께 듣고 싶은 말은?	걱장하지마 잘할거야
부모님께 가장 선물하고 싶은 것은?	현찰
어른이 되면 꼭 해보고 싶은 것은?	장래희망 꼭 이루기! 부모님께 선물드리기
중학생이 되는 소감 한 마디!	교복이 예쁘고 공부는 쉬우면 좋겠다

제4장 겨울 한 숨

[1] 주제 시 쓰기: 교육과정발표회(학예회)

[2] 우리가 좋아했던 2023년

학예회

정재희

학예회다

낭독극을 한다

공익광고도 본다

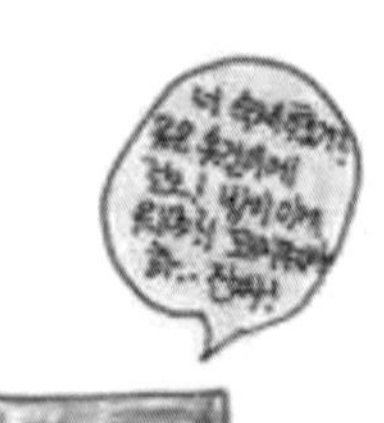

뮤비도 본다

칼림바도 한다

집가서 엄마와 재잘재잘

이야기 할 수 있는 하루였다

난 와르르~~

이하은

되게 엄청 떨릴 것 같았지만

별로 안떨렸다

그냥 연습했던 것처럼 하자!

낭독극 통과

사회 발표 통과

칼림바 와장창..

베니코

이지민

드디어 학예회다.

무엇보다 가장 무서운 건
낭독극이다.

지금까지 베니코 목소리를
열심히 연구해 왔지만…

나는 그런 온화한 목소리를
내지 못한다는 걸 깨달았다.

살짝 당황스러웠지만
좋게 끝난 것 같아서 좋았다.

떨리는 학예회

이예은

가슴이 두근두근 하는 학예회,

하필 사회자여서 더 떨리는 학예회

엄마가 앞에 있어서 참았지만

실제로는 진짜 떨렸다.

다신 안 해.

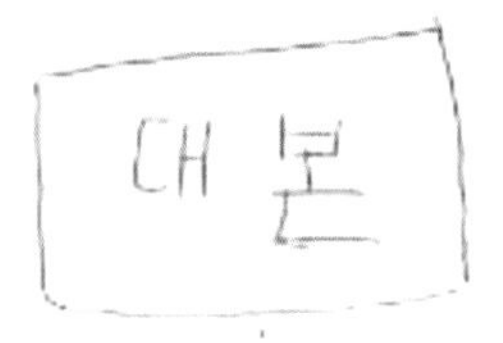

칼림바

이슬

학예회 때 칼림바를 했다.

띠로리링~

듣기 좋았나.

그런데....

어디선가 불협화음이

들리기 시작했다

음이 완전히 엇갈렸다.

그중에....

나도 있었다...

교육과정발표회

이서윤

학부모님께서 많이 오셨다

오신만큼 잘해야 한다는 생각이

내 머릿속을 지배했다

어...? 어머 이게 누구야....

엄마보고 오지 말랬는데 왔다

그렇다 난 흑역사를 남겼다

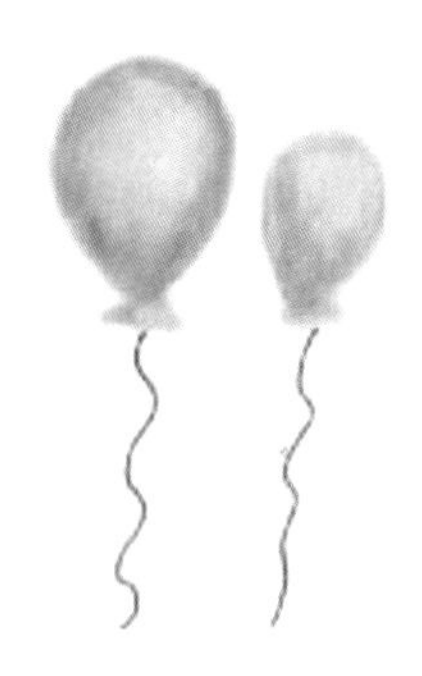

학예회

이서윤

학예회...

정말 재미있을 것 같았는데

정말 지루하고 현타만 났다...

그래도 그나마 엄마가 와서 다행이었다!

사회 발표 자

이보연

두근두근 떨리는 학예회

떨리는 학예회에서 사회 발표를 해야한다

드디어 내 차례가 왔다

앞에 나가니 더 떨리는 것 같다!!

부모님들 앞에서 하니 더더 떨리는 것 같다

드디어 발표가 다 끝났다

잘 끝났다

다행이다

단 한 개의 씨앗

이나윤

단 한 개의 씨앗이 자라서 나무가 되어

누구에게는 나무 그늘이,

또 누군가는 맛있는 열매가 있는

나무가 된다

그처럼 한 번의 학예회가

누군가에게는 기쁘고,

또 다른 누군가는 긴장되는 날이 된다

공포의 낭독극

윤수연

너무너무 떨리는 학예회.

나와 친구가 첫 번째로 낭독극을 하기로 했다.

학부모님들 앞에서 또박 또박…

잘 읽어 나갔다.

그래도 연습보다 잘한 것 같아 기뻤다.

하지만 다시 하고 싶진 않네!?

교육과정발표회

김아인

시작 전은 괜찮았다

그치만 막상 시작하니 엄청 떨렸다

말실수를 조금 한 것 같기도 하고

그래도 잘 이어나갔다

중간중간 넌센스퀴즈도 내며

지루하지않은 시간을 보냈다

5년만에 하는 사회자인만큼 더 떨리고 재미있었다

여러 영상을 보며 그때의 추억도 생각났다

의미있던 시간이였다

학예회

권벼리

우리가 힘들게 준비한 학예회가 다가왔다.

처음에는 우리가 가장 열심히 준비한

낭독극을 먼저 했다.

우리 모둠은 전천당이라는 책을 읽었다.

부모님들이 학교에 찾아오시기도 했다.

그리고, 정말 신났던 건 우리 부모님들이 오셨다.

그래서 열심히 표현도 해보고, 실감나게 읽어보았다.

나는 손발이 덜덜 떨리기도 하였다.

그래도, 열심히 읽어보았다.

학예회가 끝나고, 난 손발에 힘이 다 풀렸다.

하지만, 재미있고 신났던 학예회였다.

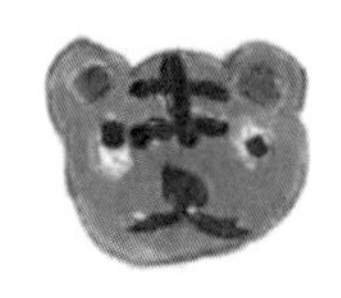

호랑이의 선물

허수근

오늘은 교육과정 발표회다

너무 긴장돼서

심장에 팝콘 튀기는 줄 알았다

하지만 열심히 잘한 것 같다

최경준

어느덧 학예회가 왔다.

연습한대로 글을 읽으려는데

너무나도 긴장을 했다.

글을 읽다 삑사리가 날 수도 있어

더더욱 긴장했다.

글을 다 읽고 나서야 긴장이 풀렸다.

긴장을 하니 기운을 다 쓴 것 같다.

학예회

임준하

오늘은 학예회를 하는 날이

조금 긴장이 되었지만 조금은 설렜다

부모님들이 조금 오시기 시작했다 떨린다

부모님들 앞에서 칼림바 뮤직 비디오 등을 했다

재밌었다

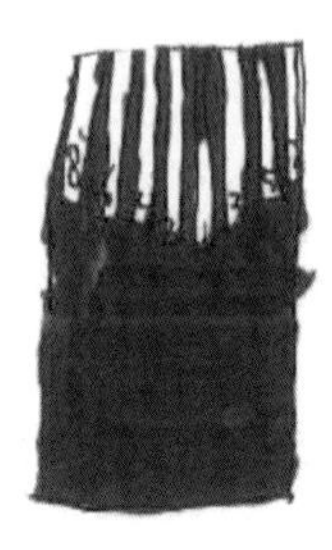

학예회

이준형

오늘은 학예회 하는 날이다.

학부모들도 오시는 날이다.

남독극도 하고

사회 발표도 하고

광고 영상도 보고

뮤직비디오 영상도 보고

칼림바도 쳤다.

내 엄마는 안와서 다행이다.

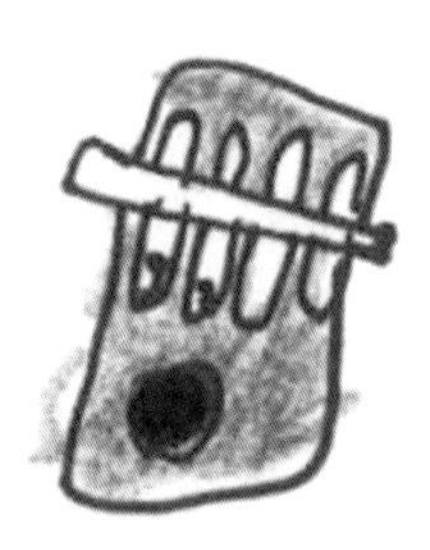

학예회

이승우

오늘은 학예회

학부모님들이 오시는 날이다

칼림바도 치고

가장 떨렸던 낭독극도 했다

교육 과정 발표회

양지원

오늘은 교육 과정 발표회다

설렌다

부모님들 앞에서 발표를 할 생각에

심장이 두근두근 거린다

발표가 끝나고 나의 심정은

힘들다

학예회

손효승

긴장이 됐다

부모님들 앞에서 하니까

긴장이 더 되었다

낭독극을 끝내고

긴장이 사라졌다

다른 것들은 잘한 것 같다

학예회

방경오

오늘은 학예회

별로 긴장은 된다

낭독글을 하고 흑역사를보고

사회 발표를하고 뮤직비디오를 보고

칼림바를 치고 나니 끝났다.

별로 긴장은 안됐다

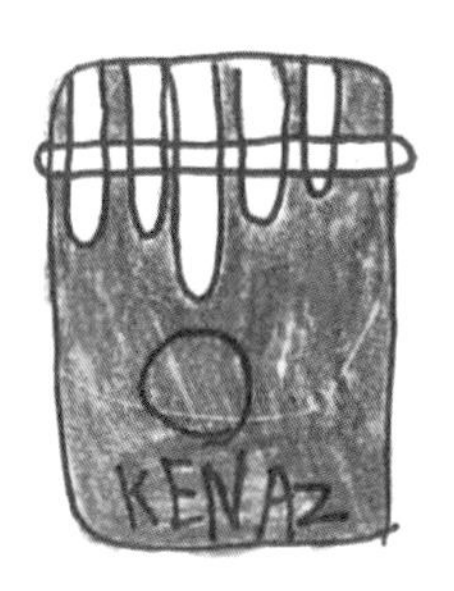

낭독극

도정현

학예회로 낭독극을 했다

부모님들이 조금씩 오시기 시작했다

없었던 긴장이 생겼다

낭독극를 하고 긴장이 없어졌다

낭독극을 처음 했는데 생각보다 재미있었다

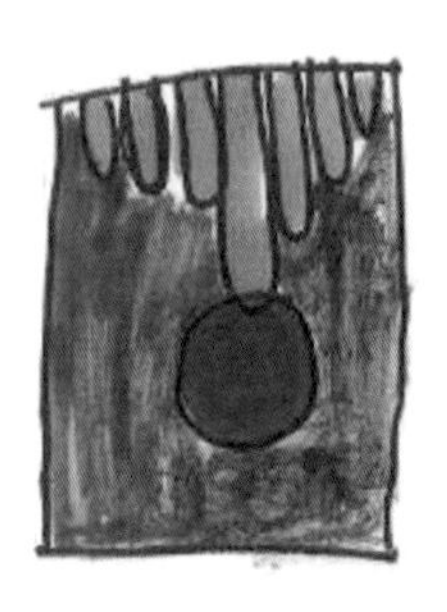

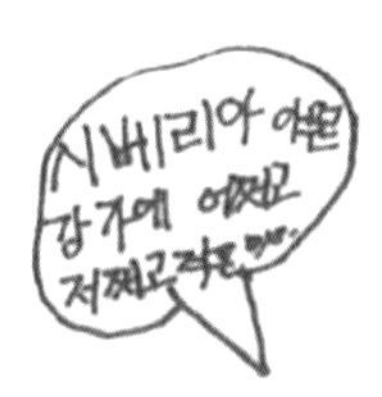

학예회 낭독극

김준우

낭독극을 하던 날,

조금 긴장되었다.

하지만 연습을 많이 해서

잘 끝낼 수 있었다.

수근이가 늙은 사냥꾼의

역할을 했을 때

반응이 좋았다.

낭독극이 잘 끝나서 다행이다.

사회 보기

김은우

학예회다 엥 내가 사회자네?

대본이 있다

친구들이 내 대본을 썼다

이상하다...

긴장이 된다

긴장을 해선지 대사를 절었다

긴장이 풀리니 어? 괜찮네

우리들의 겨울
초등학교!
잘~가!
실허...
어서와 ~!
중학교는
처음이지?!
야홋!
중학교!
졸업식

<2023년 우리반 친구들이 최고로 좋아했던>
영화
1
2
미니언즈!!
엘리멘탈!
그 외
짱구, 주토피아,
센과 치히로
3
스파이더위크가의 비밀

2023년 우리가 최고로
좋아하는
드라마
1
그 외: 펜트하우스 · 구미호뎐
여신강림
2
경이로운 소문
슬기로운
의사생활
3
정신병동에도
아침이
와요

〈2023년 우리반 친구들이 최고로 좋아했던〉
가수
1
아이브
2
르세라핌~
3
아이유
그 외 :
BTS, 제로베이스원,
투바투

2023년 우리가 최고로
좋아하는

음식

1 라면

2 (고기)

3 치킨

그외 · 피자 · 김치볶음밥 ·
탕후루

2023년 우리가
최고로 좋아하는 《행사》
1
캠핑!
2
피구 대회
3
체육대회

<2023년 우리반의 사건들~!>
사건
1
물난리
2
똑!
똑!
문고리 고장!
3
위이이잉~!
?!
화재경보
그외 ᄀ
수학여행 취소
임준하 지각
STOP
쌤
헉...!
임씨

6학년 3반 이쁜이들!
초등학교에서 보내는 마지막 한 해를
선생님, 친구들과 함께하며
행복하게 보냈나요?

공부할 때도 놀 때도
반짝거리는 예쁜 두 눈으로
열심히 생활하던 여러분 덕분에
선생님은 행복 가득한 2023년을 보냈습니다.

가끔 이 문집에 가득 담긴
올해의 추억을 펼쳐보면서
한없이 귀엽고 사랑스러웠던 여러분의 모습을
추억할 수 있기를 바랍니다.

2023년 12월 1일 금요일
문집 편집을 마치며
이영은 선생님이